As for me, I speak French perfectly.
Moi je parle français parfaitement.

quiet · buzz · bulle · yellow · pirat · table · chaussette · très · ddle · estic · rat

parapluie · vacanc · feu · chaise · lion · tongue · kitchen

sea · up · coin · ostrich · jambon · whack

early · yet · essence · lion

luge · breakfast

jeter · oeuf · journal

biberon

ink · pantalon

rayon · grange · lasso · papillon · gro

zyxuzpf · junkyard · étoiles · alphabet

campagne · nuage · cheese · yard · mais · raincoat

xanthophyll · moon · roi · X-ray · valentine

indien · ink · Halloween · axe · freeze · key · Cavan County Library · joke · cirque · neuf · hard

junkyard · télévision · shadow · abeilles · Withdrawn Stock · tricycle · flèche · net

ice skates · hop · bonbon · vaccination · tasse · whale · knife · ear · wait · poire

# The Cat in the Hat Beginner Book

# DICTIONARY

# in FRENCH

COLLINS

Trademark Random House Inc.
Authorised user HarperCollins*Publishers* Ltd

First published in the UK 1967 by William Collins Sons & Co Ltd
This edition published in the UK in 1997 by HarperCollins*Children's Books*,
a division of HarperCollins*Publishers* Ltd
© 1965, 1964 by Random House Inc
A Beginner Book published by arrangement with Random House Inc.,
New York, USA

ISBN 0 00 195054-1 (Hardback)

2 4 6 8 10 9 7 5 3

Printed and bound in Singapore by Tien Wah Press.
Regenerated in 1997 by Mitchell Graphics, Scotland.

This book is based on the original
Beginner Book Dictionary and was
adapted into Beginners' French
by ODETTE FILLOUX
of the Department of Linguistics
University of California at San Diego

# A a

## Aaron

Aaron is an alligator.

Aaron est un crocodile d'Amérique.

## above

Aaron above the clouds.

Aaron au-dessus des nuages.

## about

Aaron is about to go up.

Aaron est prêt à s'envoler.

## accident

An accident. Poor Aaron!

Un accident. Pauvre Aaron!

# across

Abigail goes across.
Abigail traverse.

# add

Abigail is adding.
Abigail additionne.

# aeroplane

Two aeroplanes.
Deux avions.

# afraid

Abigail is afraid.
Abigail a peur.

# after

A mouse after a cat.
Une souris après un chat.

# again

Aaron is up again.
Aaron est encore là-haut.

# ah

Say ah.
Dis A.

# ahead

**The cat is ahead.**
Le chat est en avant.

# alike

**All alike.**
Tous pareils.

# alone

**All alone.**
Tout seul.

# along

**Along the shore.**
Le long de la côte.

# alphabet

**Our alphabet.**
Notre alphabet.

# always

**Always accidents!**
Toujours des accidents!

4

# American

An American Indian.
Un Indien Américain.

# angry

An angry animal.
Un animal en colère.

# another

Another angry animal.
Un autre animal en colère.

# answer

"Answer, quickly!"
"Répondez, vite!"

# ant

Ants in pants.
Des fourmis dans le pantalon.

How many letters
in the alphabet?

Combien de lettres
dans l'alphabet?

There are twenty-six of them.
Il y en a vingt-six.

# apple

An armful of apples.
Une brassée de pommes.

5

# arrow

He shoots an arrow.
*Il tire une flèche.*

# ask

She is asking for an apple.
*Elle demande une pomme.*

# asleep

Aaron asleep.
*Aaron endormi.*

Aaron awake.
*Aaron éveillé.*

# aunt

Aunt Ada.
*Tante Ada.*

# auto- mobile

Aunt Ada's automobile.
*L'auto de Tante Ada.*

# away

Away she goes!
*La voilà qui s'en va!*

# axe

A very big axe.
*Une très grosse hache.*

6

# B b

## baby

**A good baby.**
Un bon bébé.

## back

**On the back of a lion.**
Sur le dos d'un lion.

## bad

**A bad baby.**
Un méchant bébé.

7

# bag
# baggage

**A bag.**
Un sac.

**Baggage.**
Des bagages.

# bake

**He bakes bread.**
Il fait cuire du pain.

# ball

**He plays ball.**
Il joue au ballon.

# balloon

**Baby likes balloons.**
Bébé aime les ballons.

# banana

**Baby likes bananas.**
Bébé aime les bananes.

# band

**Dog band.**
Fanfare de chiens.

# bank

**A small bank.**
Une tirelire.

# barber

**Aaron at the barber's.**
Aaron chez le coiffeur.

# bark

**The dog barks.**
Le chien aboie.

# basket

**A baby in a basket.**
Une bébé dans un panier.

**What does baby like?**
Qu'est-ce que bébé aime?

**Baby likes balloons.**
Bébé aime les ballons.

**What doesn't baby like?**
Qu'est-ce que bébé n'aime pas?

**Baby doesn't like this basket.**
Bébé n'aime pas ce panier.

# barn

Une grange.

# bath

**A bathtub.**
Une baignoire.

**A shower bath.**
Une douche.

9

# bear

Un ours.

# bed

He is in bed.
Il est au lit.

# bee

Angry bees.
Des abeilles en colère.

# behind

He is behind the tree.
Il est derrière l'arbre.

# bell

They are ringing bells.
Ils sonnent les cloches.

# belt

He has a belt.
Il a une ceinture.

# beside

He is beside the tree.
Il est à côté de l'arbre.

# between

He is between two trees.
Il est entre deux arbres.

10

# bicycle

**Aunt Ada's bicycle.**
La bicyclette de Tante Ada.

# big

**How big they are!**
Comme ils sont grands!

# bird

**The bird flies.**
L'oiseau vole.

# birthday

**Birthday cake.**
Gâteau d'anniversaire.

# bite

**He bites his cake.**
Il mange son gâteau.

# black

**A blackbird at a blackboard.**
Un oiseau noir au tableau noir.

# block

**Six blocks.**
Six cubes.

11

# blow

**The wind blows.**
Le vent souffle.

# blue

Bleu.

# bones

**The bones of a bear.**
Les os d'un ours.

# book

**A book for birds.**
Un livre pour les oiseaux.

# boot

**He wears red boots.**
Il porte des bottes rouges.

# bottle

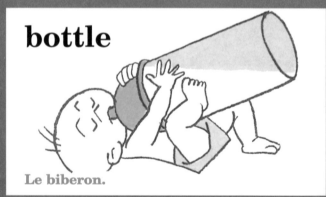

Le biberon.

# bowl

**Bananas in a bowl.**
Bananes dans un bol.

# box

**Bananas in a box.**
Bananes dans une boîte.

# boy

**A boy.**          **A girl.**
Un garçon.          Une fille.

# break

**He is breaking it.**
Il la casse.

# breakfast

**Breakfast in bed.**
Petit déjeuner au lit.

# breathe

**Breathe in!**          **Breathe out!**
Aspire!          Expire!

# brick

**He carries bricks.**
Il porte des briques.

# bridge

**Under the bridge.**
Sous le pont.

13

# bright

**Bright light.**
Lumière vive.

# bring

**Bring me those balloons.**
Apporte-moi ces ballons.

# broom

Un balai.

# brother

**A bear and his brother.**
Un ours et son frère.

# brush

**He brushes with a brush.**
Il se brosse avec une brosse.

# bubble

**He makes a bubble.**
Il fait une bulle.

# build

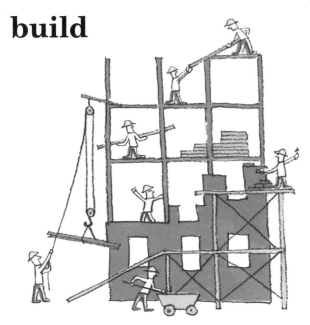

**They build a house.**
Ils bâtissent une maison.

# bump

Une bosse.

# burn

**He burned the toast.**
Il a brûlé le pain grillé.

# bus

Un autobus.

# butter

**A butterfly on the butter.**
Un papillon sur le beurre.

# button

**Three big blue buttons.**
Trois gros boutons bleus.

# buzz

**Bees buzz.**
Les abeilles bourdonnent.

15

# C c

## cactus

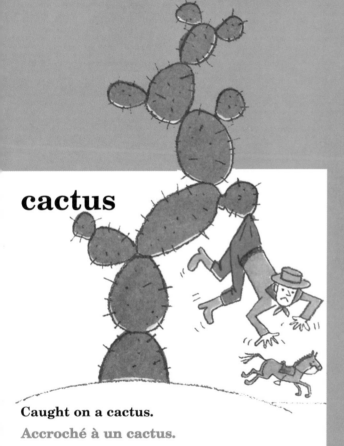

**Caught on a cactus.**
Accroché à un cactus.

## cage

**Lion cage.**
Cage à lion.

## calf

**A calf and its mother.**
Un veau et sa mère.

## call

"HERE, CAMEL, CAMEL, CAMEL."

**Aunt Ada is calling her camel.**
Tante Ada appelle son chameau.

16

# camera

**A camera.**
Un appareil de photo.

# camp

**Campfire.**
Feu de camp.

# can

**I can't open this can.**
Je ne peux pas ouvrir cette boîte.

# candle

Une bougie.

# candy

**Candies.**
Des bonbons.

# cap

**Four caps.**
Quatre casquettes.

# car

**A car.**
Une auto.

**A cart.**
Une charrette.

# castle

A castle.
Un château fort.

# catch

Catch it!
Attrape-la!

# ceiling

A fly on the ceiling.
Une mouche au plafond.

The dog caught the ball.
Le chien a attrapé la balle.

She will catch the fly.
Elle attrapera la mouche.

# chair

Three chairs for three bears.
Trois chaises pour trois ours.

# chase

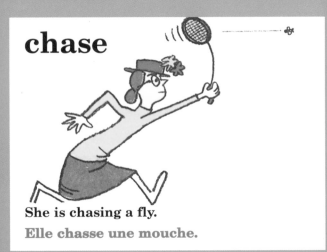

She is chasing a fly.
Elle chasse une mouche.

# cheese

I love cheese.
J'adore le fromage.

18

# chicken

Chicken.
Le poulet.

Chicks.
Les poussins.

# child

A child.
Un enfant.

Some children.
Des enfants.

# chimney

Santa Claus in a chimney.
Le Père Noël dans une cheminée.

# chin

Le menton.

# Christmas

Merry Christmas.
Joyeux Noël.

# church       l'église

# circle

All in a circle.
Tous en rond.

19

# city

**Two villages.**
Deux villages.

**One city.**
Une ville.

# clock

**Alarm clock.**
Un réveil.

**Cuckoo clock.**
Un coucou.

# clean

**Cleaning the city.**
On nettoie la ville.

# clothes

**Clothes drying.**
Des habits qui sèchent.

# clown

**A clown and his circus.**
Un clown et son cirque.

# climb

**We climb up high.**
Nous grimpons là-haut.

# coat

**Fur coat.**
Manteau de fourrure.

# cold

**He is cold.**      Il a froid.

# come

**"Come!"**      He comes.
**"Viens!"**      Il vient.

# colours

**Many colours.**
Beaucoup de couleurs.

# cook

**A good cook.**
Un bon cuisinier.

# comb      un peigne

# corn

**They eat corn.**
Ils mangent du maïs.

21

# corner

**A mouse in a corner.**
Une souris dans un coin.

# could

**One could. The other couldn't.**
L'un a pu. L'autre n'a pas pu.

# count

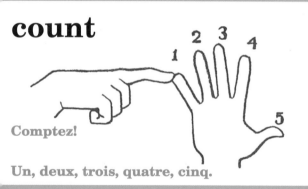

Comptez!

Un, deux, trois, quatre, cinq.

# country

La campagne.

# cow

| **A cow.** | **A calf.** | **A bull.** |
| Une vache. | Un veau. | Un taureau. |

**Count the animals on this page.**
Comptez les animaux
sur cette page.

**One mouse.**
Une souris.

**Two bears.**
Deux ours.

**One cow.**
Une vache.

**One calf.**
Un veau.

**One bull.**
Un taureau.

**There are six animals.**
Il y a six animaux.

# crayon

**Three crayons.**
Trois crayons de couleur.

# crow

**One crow.**
Un corbeau.

# crowd

**Here are ten crows.**
Voici dix corbeaux.

# crown

**The king's crown.**
La couronne du roi.

# cry

**Baby cries hard.**
Bébé pleure fort.

# cup

**A cup of tea.**
Une tasse de thé.

# cut

**Aaron cuts paper.**
Aaron coupe du papier.

23

# D d

## dad

My daddy is dancing.
Mon papa danse.

## dark

It's dark.
Il fait noir.

It's light.
Il fait clair.

## deep

Very deep.
Très profond.

24

# dentist

**At the dentist's.**
Chez le dentiste.

# dinner

**He cooks dinner.**
Il fait le dîner.

**After dinner, what does he do?**
Après dîner, que fait-il?

# dishes

**He washes dishes.**
Il lave la vaisselle.

# dive

**She dives.**
Elle plonge.

# do
## faire

**I do.**
Je fais.

**I did.**
J'ai fait.

**I will do.**
Je ferai.

**Well done.**

Bien fait.

# doctor

**A dog doctor.**
Un docteur de chiens.

25

# doll

**A doll for a pound.**
Une poupée d'une livre.

# down

En haut

En bas

# door

**Close that door.**
Ferme cette porte.

# dozen

**There is a dozen of them.**
Il y en a une douzaine.

# draw

**He draws a duck.**
Il dessine un canard.

# dot

**Red dots.**
Pois rouges.

# dream

**Girl's dream.**
Rêve de fille.

# drink

**The deer is drinking.**
Le cerf boit.

# drip

**It's dripping.**
Ça goutte.

# drum

**A big drum.**
Un gros tambour.

# dry

**She dries her hair.**
Elle fait sécher ses cheveux.

# dump

**A rubbish dump.**
Une décharge.

# dust

**A cloud of dust.**
Un nuage de poussière.

27

# E e

### ear

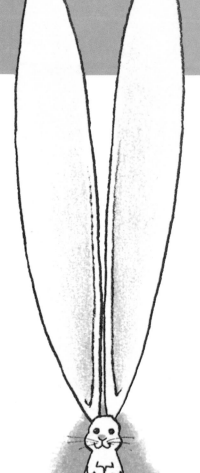

**Big ears.**
Grandes oreilles.

### early

**Early in the morning.**
Tôt le matin.

### east

**He flies east.**
Il vole vers l'est.

28

# eat

I eat eight eggs.
Je mange huit oeufs.

# electric

An electric shaver.
Un rasoir électrique.

# elephant

Un éléphant.

# eleven

He ate eleven eggs.
Il a mangé onze oeufs.

# empty

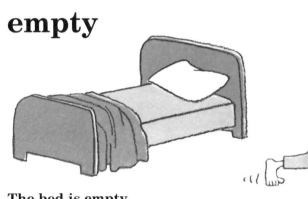

The bed is empty.
Le lit est vide.

# end

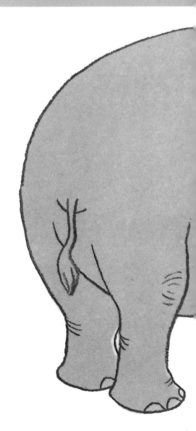

The back end.
L'arrière train.

29

# entrance

Entrée.        Sortie.

# exercise

She is exercising.
Elle fait de l'exercice.

What does Aaron do?
Que fait Aaron?

He goes in and out.
Il entre et il sort.

# Eskimo

Eskimo fishing.

Un Esquimau à la pêche.

# eye
## l'oeil

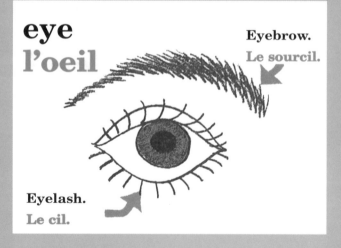

Eyebrow.
Le sourcil.

Eyelash.
Le cil.

# every
## chaque

The "every" words

Everyone
Chacun

Everybody
Tous

Everything
Tout

Everywhere
Partout

# eyeglasses

Lunettes.

30

# F f

**fairy**

La fée.

**face**

**Wash your face.**
Lave ton visage.

**fall**

**She fell on her face.**
Elle est tombée sur le visage.

31

# family

**A big family.**
Une famille nombreuse.

# fan

**An electric fan.**
Un ventilateur électrique.

# far

**The star is far.**
L'étoile est loin.

# farm

**A farmer and his farm.**
Un fermier et sa ferme.

# fast

**They are running fast.**
Ils courent vite.

# fat

**A fat bear.**
Un gros ours.

**A thin bear.**
Un ours maigre.

# father

There is my father.
Voilà mon père.

# feather

Pretty feathers.
Jolies plumes.

# feed

He is being fed.
On lui donne à manger.

# feel

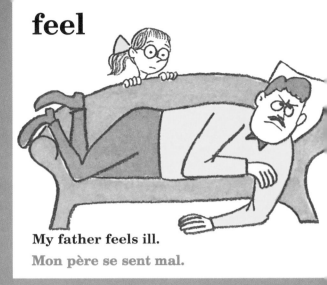

My father feels ill.
Mon père se sent mal.

# feet

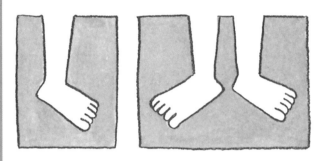

One foot.          Two feet.
Un pied.           Deux pieds.

# fence

On the fence.
Sur la barrière.

33

# few

**A few fish.**
Quelques poissons.

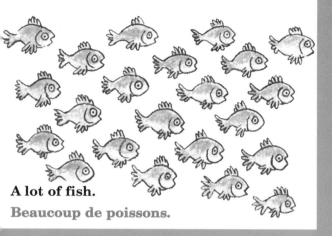

**A lot of fish.**
Beaucoup de poissons.

# fight

Une bataille.

# fill

**Fill it up.**
Remplissez-le.

# find

**He finds a franc.**
Il trouve un franc.

# finger

**Five fingers.**
Cinq doigts.

# fire

**Fire! Fire!**
Au feu! Au feu!

# firefly

La luciole.

34

# first

First.    Second.    Third.
Premier.    Deuxième.    Troisième.

# five

Five pelicans.
Cinq pélicans.

# fix

Fix it, Daddy.
Répare-le, Papa.

# flag

Many flags.
Beaucoup de drapeaux.

# flap

A pelican flapping its wings.
Un pélican qui bat des ailes.

# flat

Flat tyre.
Pneu à plat.

# float

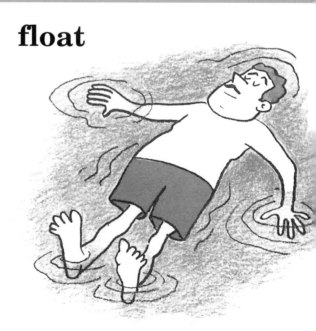

My father is floating.
Mon père flotte.

35

# floor

Ceiling.
Le plafond.

Floor.
Le plancher.

# flower

A big flower.
Une grande fleur.

# fly

Aaron is flying again.
Aaran vole encore.

# follow

Let's follow him!
Suivons–le!

# food la nourriture

# fork

A knife.
Un couteau.

A fork.
Une fourchette.

## found

**He found a fox.**
Il a trouvé un renard.

## four

**Four brown foxes.**
Quatre renards bruns.

## free

**Free at last!**
Enfin libre!

## freeze

**It's freezing in here.**
On gèle ici.

## fresh

**Here is a fresh egg.**
Voici un oeuf frais.

## friend

**Two good friends.**
Deux bonnes amies.

37

# frown

**He is frowning.**
Il fronce les sourcils.

# fruit
## les fruits

des raisins

une poire

un pamplemousse

un ananas

un citron

une banane

# fun

**They are having fun.**
Ils s'amusent bien.

# G g

## game

**A game of cards.**
Un jeu de cartes.

## garbage

**Her garbage can.**
Sa poubelle.

## garage

**Her garage.**
Son garage.

## garden

**Her flower garden.**
Son jardin de fleurs.

39

# gargle

**He gargles.**

**Il se gargarise.**

# gas

**She puts the pie in the gas oven.**

**Elle met la tarte dans le four à gaz.**

# gave

**He gave him some petrol.**

**Il lui a donné de l'essence.**

# get

**We got a bike for Christmas.**

**Nous avons eu un vélo pour Noël.**

# giant

**Un géant.**

# giraffe

Une girafe.

# glad

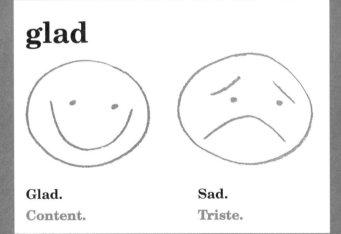

Glad.
Content.

Sad.
Triste.

# glass

Du verre.

# glove

Four boxing gloves.
Quatre gants de boxe.

# go

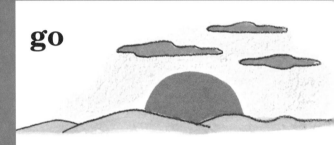

The sun goes down.
Le soleil se couche.

# gone

The sun has gone.
Le soleil a disparu.

# good

Good dog.
Bon chien.

Bad dog.
Méchant chien.

41

# goodbye

Au revoir.

# grandmother

My grandmother.
Ma grand-mère.

# goose

A goose.
Une oie.

Two geese.
Deux oies.

# grape

Sour grapes.
Des raisins verts.

# grass

Goats eat grass.
Les chèvres mangent de l'herbe.

# grandfather

My father.
Mon père.

My grandfather.
Mon grand-père.

# grasshopper

Les sauterelles.

# grey

**He paints the wall grey.**
Il peint le mur en gris.

# groceries

Les commissions.

# ground

**Underground.**
Sous-sol.

# grow

**My flowers grow.**
Mes fleurs poussent.

# guess

**Guess who it is!**
Devine qui c'est!

# gun

**He shoots with his gun.**
Il tire avec son fusil.

43

# H h

## hair

I don't have much hair.
Je n'ai pas beaucoup de cheveux.

## hall

Hall.
Le couloir.

## half

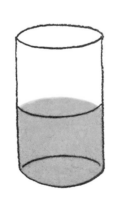

Half full.
A moitié plein.

What is in the glass?
Qu'y a-t-il dans le verre?

Orange juice, I think.
Du jus d'orange, je crois.

# ham

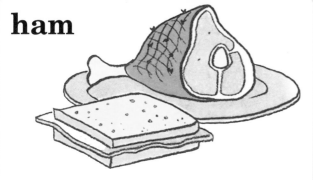

**A ham sandwich.**
Un sandwich au jambon.

# hammer

**A red hammer.**
Un marteau rouge.

# hand

**Two hands.**
Deux mains.

# hang

**Hang it on the hanger.**
Pends-le sur le cintre.

# happen

**Everything happens to me.**
Tout m'arrive.

# happy

**Happy birthday.**
Joyeux anniversaire.

# hard

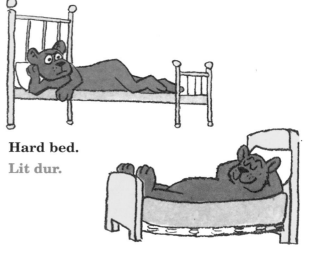

**Hard bed.**
Lit dur.

**Soft bed.**
Lit mou.

# hat

**His hat.**
Son chapeau.

**Hers.**
Le sien.

# heart

**Ace of hearts.**
As de coeur.

# hay

**Cows eat hay.**
Les vaches mangent du foin.

# heavy

**Very heavy.**
Très lourd.

# head

**She stands on her head.**
Elle se tient sur la tête.

# helicopter

**Aunt Ada's helicopter.**
L'hélicoptère de Tante Ada.

# hear

**He hears far.**
Il entend de loin.

# hello

Allô!

# help

HELP

Au secours!

# hen

My mother is a hen.

Ma mère est une poule.

# here

Hair here, not there.

Des cheveux ici, pas là.

# hide

Aaron is hiding.

Aaron se cache.

# high

Up high.

En haut.

Down low.

En bas.

# hit

He hits hard.

Il frappe fort.

47

# hold

**Aaron is holding a baby.**
Aaron tient un bébé.

# hole

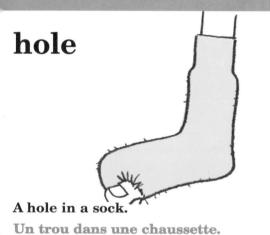

**A hole in a sock.**
Un trou dans une chaussette.

# holiday

**Christmas holidays.**
Les vacances de Noël.

# hollow

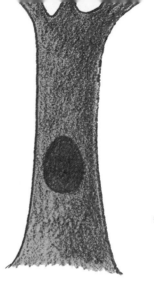

**The hollow tree.**
L'arbre creux.

# home

**This is my home.**
C'est ma maison.

# honey

**Honey in a jar.**
Du miel dans un pot.

48

Where is the owl's house?
Où est la maison du hibou?

In the hollow tree.
Dans l'arbre creux.

## horse

Un cheval.

## hook

Fishhook.
Un hameçon.

## hot

He feels hot.
Il a chaud.

## hop

A frog hopping.
Une grenouille qui saute.

## hour

It's twenty past eight.
Il est huit heures vingt.

## horn

A goat with three horns.
Une chèvre avec trois cornes.

## house

A horse in a house.
Un cheval dans une maison.

49

# hump

**One hump.**
Une bosse.

**A dromedary.**
Un dromadaire.

**Two humps.**
Deux bosses.

**A camel.**
Un chameau.

# hungry

**They are hungry.**
Ils ont faim.

# hunt

**He hunts duck.**
Il chasse le canard.

# hurry

**Don't hurry so.**
Ne va pas si vite.

# hurt

**He hurt himself.**
Il s'est fait mal.

50

# I i

## ice cream

Une glace.

## ice skates

Patins à glace.

## igloo

Une maison esquimau.

## inch

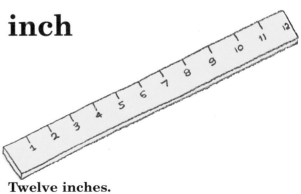

Twelve inches.
Douze pouces.

51

# Indian

An American Indian.
Un Indien Américain.

An Indian from India.
Un Indien des Indes.

# ink

L'encre.

# insect

Insects in my igloo.
Des insectes dans mon igloo.

# iron

He is ironing his pants.
Il repasse son pantalon.

# itch

I itch.
Ça me démange.

Who ironed his pants?
Qui a repassé son pantalon?

The American Indian.
L'Indien américain.

On an island.
Sur une île.

52

# J j

Jacques

Jérôme  Julien

Jean

## jacket

**Jerome and his jacket.**
Jérôme et sa veste.

## jack-o-lantern

**Jean and his jack-o-lantern.**
Jean et sa citrouille.

## jam

**Julien likes jam.**
**Julien aime la confiture.**

## jelly

**Jacques loves jelly.**
**Jacques adore la gelée.**

53

# jet

Jean is in his jet.
Jean est dans son avion à réaction.

# joke

He plays a joke on Jacques.
Il fait une farce à Jacques.

# juice

Julien makes juice.
Julien fait du jus.

# jump

Jacques jumps high.
Jacques saute haut.

# jungle

Jerome in the jungle.
Jérôme dans la jungle.

# junk

They all like junk.
Ils aiment tous le bric-à-brac.

# K k

## kangaroo

Un kangourou.

## kettle

La bouilloire.

## keep

Keep away.
Ne t'approche pas.

## key

Keyhole.
Le trou de la serrure.

Key.
La clef.

# kick

**She kicks.**
Elle donne un coup de pied.

# kill

**Let's kill that fly!**
Tuons cette mouche!

# kind

**Two kinds of birds.**
Deux espèces d'oiseaux.

# king

**Le roi.**

# kiss

**He kisses her.**
Il l'embrasse.

# kite

**No kite here!**
Pas de cerf-volant ici!

# kitten

**Mother cat.**
La chatte.

**Kitten.**
Le petit chat.

# knees

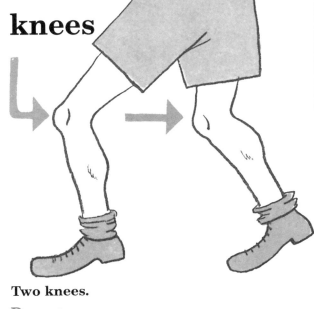

**Two knees.**
Deux genoux.

# knife

**Don't eat with your knife!**
Ne mange pas avec ton couteau!

# knock

**He knocks at the door.**
Il frappe à la porte.

# know

**I know he is going to fall.**
Je sais qu'il va tomber.

**I knew it.**
Je le savais.

57

# L l

## ladder

She climbs a ladder.
Elle monte à l'échelle.

## lamb

My child is a lamb.
Mon enfant est un agneau.

## lake

Lake Minnihaweetonka.
Lac Minnihaweetonka.

## land

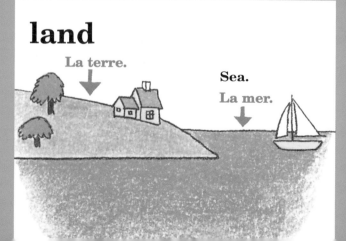

La terre.

Sea.
La mer.

# lap

**Sit on my lap.**
Assieds-toi sur mes genoux.

# lasso

**He catches it with a lasso.**
Il l'attrape au lasso.

# last

**The last one.**
Le dernier.

# late

**Late for school.**
En retard à l'école.

# laugh

**He is laughing.**
Il rie.

**He is crying.**
Il pleure.

# lazy

**We are all lazy.**
Nous sommes tous paresseux.

# learn

He learns to fly.

Il apprend à voler.

# letter

He posts a letter.

Il met une lettre à la poste.

# leg

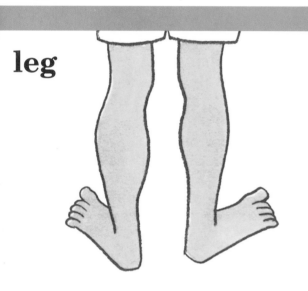

Left leg.

Jambe gauche.

Right leg.

Jambe droite.

# library

Une bibliothèque.

# let

Let me out of here.

Laisse-moi sortir d'ici.

# lick

He licks his hand.

Il lèche sa main.

60

# lie

**Lie down.**
Couche-toi.

**He did.**
Il l'a fait.

# lift

**He is lifting lemons.**
Il soulève des citrons.

# light

**A light in the night.**
Une lumière dans la nuit.

# lightning

Un éclair.

# lion

**Aunt Ada likes lions.**
Tante Ada aime les lions.

# lip

**Red lips.**
Lèvres rouges.

# listen

**Let's listen to the bird.**
Ecoutons l'oiseau.

# lollipops

**Baby likes lollipops.**
Bébé aime les sucettes.

# little

**Little bird.**
Petit oiseau.

**Big bird.**
Grand oiseau.

# long

Long.

**Longer.**
Plus long.

**Longest.**
Le plus long.

# log

**On a log.**
Sur un tronc d'arbre.

# look

**He looks for his sock.**
Il cherche sa chaussette.

# loose

**The goose is loose.**
L'oie s'est détachée.

# luck

**It brings good luck.**
Il porte bonheur.

# loud

Fort.

**Louder.**
Plus fort.

**Loudest.**
Le plus fort.

# lump

Un morceau.

# love

**She loves her baby.**
Elle aime son bébé.

# lunch

**His lunch.**
Son déjeuner.

63

# M m

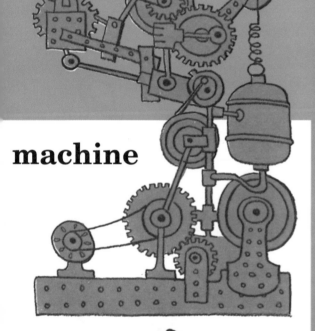

## machine

Une machine.

## made

I made that machine.
J'ai fait cette machine.

## magic

64

A magician makes magic.
Un magicien fait de la magie.

# mail

**The postman brings the mail.**
Le facteur apporte le courrier.

# make

**He is making another machine.**
Il fait une autre machine.

# man

**A man.**
Un homme.

**Three men.**
Trois hommes.

**Many men.**
Beaucoup d'hommes.

# map

**A map of the United States.**
Une carte des Etats-Unis.

# marble

**They play marbles.**
Ils jouent aux billes.

# mask

**He is wearing a moose mask.**
Il porte un masque d'élan.

65

# mat

Door mat.
Paillasson.

# match

He did it with a match.
Il l'a fait avec une allumette.

# may

He may dive.
Il se peut qu'il plonge.

# meat

At the butcher's.
A la boucherie.

# meow

"Meow," says the cat.
"Miaou," dit le chat.

# merry

A merry-go-round.
Un manège de chevaux de bois.

# mess

**An awful mess.**
Un gâchis terrible.

# minute

**Five minutes to five.**
Cinq heures moins cinq.

# midnight

**It's midnight.**
Il est minuit.

# miss

**He missed the bus.**
Il a râté l'autobus.

# million

**There are millions of stars.**
Il y a des millions d'étoiles.

# mitten

**Eight mittens.**
Huit moufles.

# mix

He mixes the eggs and the flour.
Il mélange les oeufs et la farine.

# month

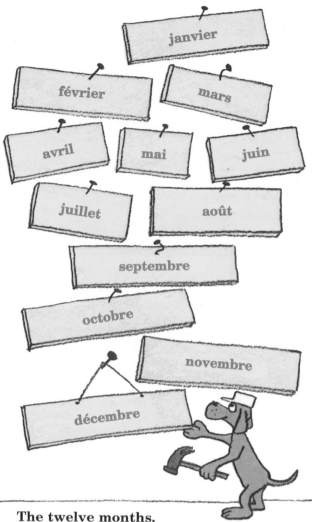

janvier

février

mars

avril

mai

juin

juillet

août

septembre

octobre

novembre

décembre

The twelve months.
Les douze mois.

# money

So much money!
Tant d'argent!

James has so much money!
Jacques a tant d'argent!

He has more than John.
Il en a plus que Jean.

John has only one coin.
Jean a seulement une pièce.

# moo

Cows go "moo".
Les vaches font "meuh".

They also give milk.
Elles donnent aussi du lait.

# moon

**Aaron is flying to the moon.**
Aaron vole vers la lune.

# morning

**What a beautiful morning!**
Quel beau matin!

# mother

**She is my mother.**
C'est ma mère.

# mountain

**High mountain.**      **Low hill.**
Haute montagne.      Colline basse.

# mouth

**Mouth open.**      **Mouth shut.**
Bouche ouverte.      Bouche fermée.

# move

They are moving.
Ils déménagent.

# mow

Aaron mows the lawn.
Aaron tond le gazon.

# Mr. and Mrs.

Monsieur et Madame.

# mud

She is stuck in the mud.
Elle s'est enlisée dans la boue.

# music

They are playing music.
Ils jouent de la musique.

# mustard

That's too much mustard.
C'est trop de moutarde.

# N n

## nail

Un clou.

## name

"What's your name?"

"Quel est ton nom?"

## near

TO NUBBGLUBB

I live near Nubbglubb.

J'habite près de Nubbglubb.

71

# neck

He has a bow tie on his neck.

Il a un nœud papillon au cou.

# never

He will never catch me.

Il ne m'attrapera jamais.

# need

We need a bath.

Nous avons besoin d'un bain.

# new

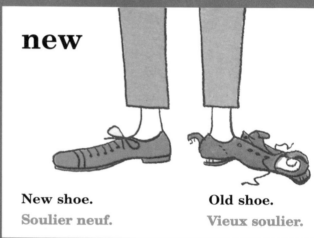

New shoe.     Old shoe.

Soulier neuf.     Vieux soulier.

# nest

Un nid.

# newspaper

Le journal.

# net

Un filet.

# next

I am the next one.

Je suis le suivant.

## night

La nuit.

## nine

Nine nights.
Neuf nuits.

## no

No, there is none.
Non, il n'y en a pas.

## noise

Stop that noise!
Arrête ce bruit!

## noodle

I like noodles.
J'aime les nouilles.

## noon

Midi.

## north

I fly north.
Je vole vers le nord.

73

# nose

**Little nose.**
Petit nez.

**Big nose.**
Gros nez.

# nurse

**Aaron's nurse.**
L'infirmière d'Aaron.

# nothing

**Nothing at all.**
Rien du tout.

# now

**What time is it now?**
Quelle heure est-il maintenant?

# nut

**A coconut falls.**
Une noix de coco tombe.

# numbers

nombres

# O o

ocean

**All alone on the ocean.**
Tout seul sur l'océan.

# off

**He fell off.**
*Il est tombé.*

# office

**My father's office.**
*Le bureau de mon père.*

# often

**I fall off often.**
*Je tombe souvent.*

# oil

**I oil my bike.**
*J'huile mon vélo.*

# old

**An old, old mouse.**
*Une vieille, vieille souris.*

# one

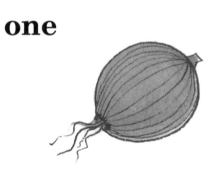

**One onion, just one.**
*Un oignon, un seul.*

# open

**Mouth open.**
*Bouche ouverte.*

**Mouth shut.**
*Bouche fermée.*

## ostrich

We have an ostrich.

Nous avons une autruche.

## over

Over a clover.

Par dessus un trèfle.

## other

One is green, the other orange.

L'une est verte, l'autre orange.

## overalls

Aaron's overalls.

La combinaison d'Aaron.

## ouch

Aïe!

## out

Out of the house is outside.

Hors de la maison c'est dehors.

Do you play outside or inside?

Jouez-vous dehors ou dedans?

Outside, when it's sunny.

Dehors, quand il y a du soleil.

Inside when it rains.

Dedans quand il pleut.

77

# P p

## pack

He is packing.

Il fait sa valise.

## paddle

Canoe paddle.

Une pagaie de canoë.

## page

He turns the page.

Il tourne la page.

## package

He carries many packages.

Il porte beaucoup de paquets.

# pails

Three red pails.
Trois seaux rouges.

# paint

He is painting his portrait.
Il peint son portrait.

# pair

Here is Aaron in a pair of pyjamas.
Voici Aaron en pyjama.

# palace

Look at my palace.
Regardez mon palais.

# pan

A pan full of pancakes.
Une poële pleine de crêpes.

# pants

A pair of blue pants.
Un pantalon bleu.

# papa

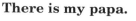

There is my papa.
Voilà mon papa.

# paper

**Newspapers are made of paper.**
Les journaux sont faits de papier.

# parachute

**He jumps with his parachute.**
Il saute avec son parachute.

# parade

**A parade in a park.**
Un défilé dans un parc.

# part

**Part man, part horse.**
En partie homme, en partie cheval.

# party

**A birthday party.**
Une réunion d'anniversaire.

# past

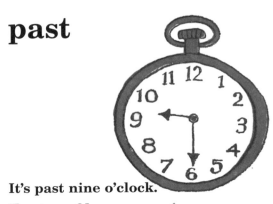

**It's past nine o'clock.**
Il est neuf heures passées.

# pat

**He is patting the dog.**
Il caresse le chien.

# paw

The dog's paw.
La patte du chien.

# pay

They are paying for their tickets.
Ils paient leurs billets.

# peanuts

Aaron likes peanuts.
Aaron aime les cacahuètes.

# pedal

Bike pedals.
Pédales de bicyclette.

# pen
# pencil

A pen.          A pencil.
Une plume.      Un crayon.

# people

People.          Animals.
Les gens.        Les animaux.

# pepper

Pepper.          Salt.
Le poivre.       Le sel.

# pet

Animal domestique.

# phone

A phone box.
Une cabine téléphonique.

Do you have a pet?
Avez-vous un animal chez vous?

Yes, I have a dog and a cat.
Oui, j'ai un chien et un chat.

# piano

Le piano.

# pick

They are picking up.
Ils ramassent.

# pie

A piece of pie.
Un morceau de tarte.

# pig

A pink pig.
Un cochon rose.

82

# pin

**Safety pin.**
Une épingle de nourrice.

# pinch

**Crabs pinch.**
Les crabes pincent.

# pirate

**A frightening pirate.**
Un effrayant pirate.

# pit

**He digs a pit.**
Il creuse un trou.

# plant

**He plants a tree.**
Il plante un arbre.

# plate

**A plum on a plate.**
Une prune dans une assiette.

# play

**They are playing.**
Ils jouent.

# please

S'il vous plaît.

# pockets

The kangaroo's pocket.
La poche du kangourou.

# point

They point.
Ils montrent du doigt.

# pole

Pole vaulting.
Saut à la perche.

# police

A policeman on a horse.
Une gendarme à cheval.

# pony

Un poney.

84

# pool

A swimming pool.
Une piscine.

Is the policeman on a pony?
Le gendarme est-il sur un poney?

Absolutely not.
Absolument pas.

He is on a horse.
Il est sur un cheval.

# porpoise

Happy porpoises.
Joyeux dauphins.

# pot

Hot pot.
Casserole chaude.

# potato

Hot potato.
Pomme de terre chaude.

# pound

A sixteen-pound baby.
Un bébé de seize livres.

# pour

He is pouring some juice.
Il verse du jus.

# prize

Prix.

# push

Aunt Ada is pushing her car.
Tante Ada pousse son auto.

# puddle

Flaque.

# pull

Pull me out of here.
Sortez-moi d'ici.

# put

He puts out the cat.
Il met le chat dehors.

# puppy

He is my puppy.
C'est mon chiot.

# puzzle

Un jeu de patience.

# Qq

**quack**

The ducks go "quack."
Les canards font "coin."

# quart

A quart of milk.
Un quart de lait.

# quick

"Quick, take it back!" she says.
"Vite, reprenez-le!" dit-elle.

# queen

"Here, Queen, a quart of milk."
"Voici, Reine, un quart de lait."

# quiet

# question

The queen asks a question.
La reine pose une question.
"Is the milk fresh?"
"Le lait est-il frais?"
"No, Queen, it is not."
"Non, Reine, il ne l'est pas."

88

He took it away quietly.
Il l'emporta sans bruit.

# R r

## rabbit

**Here is a rabbit.**
Voici un lapin.

## race

**The rabbits are racing.**
Les lapins font la course.

## radio

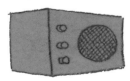

**He listens to the radio.**
Il écoute la radio.

## rain

**It rains on the rabbits.**
Il pleut sur les lapins.

## raincoat

**They wear raincoats.**
Ils portent des imperméables.

# ranch

A ranch is a large farm.
Un ranch est une grande ferme.

# rat

A grey rat.
Un rat gris.

# read

ALL ABOUT CHEESE

This rat is reading.
Ce rat lit.

# red

Rouge.

# refrigerator

Une réfrigérateur.

# reindeer

A reindeer in the refrigerator.
Un renne dans le réfrigérateur.

90

# remember

I can't remember his name.

Je ne peux me souvenir de son nom.

# rest

He is resting.

Il se repose.

# ribbon

Many ribbons.

Beaucoup de rubans.

# rich

The king is rich.

Le roi est riche.

# ride

They ride a rhinoceros.

Ils montent un rhinocéros.

# right

Left foot.                    Right foot.

Un pied gauche.               Un pied droit.

# ring

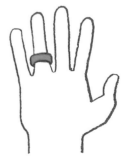

Une bague.

91

# ring

**Our phone is always ringing.**
*Notre téléphone sonne sans cesse.*

# rock

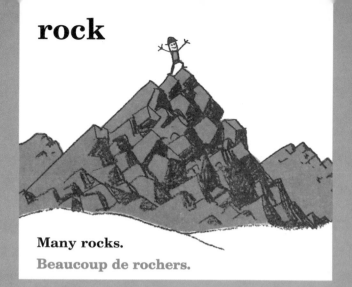

**Many rocks.**
*Beaucoup de rochers.*

# river

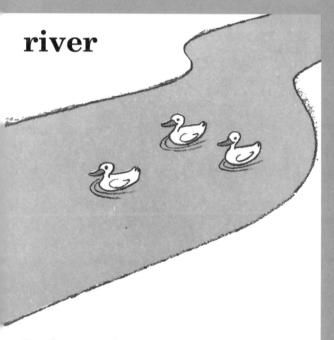

**Ducks on a river.**
*Des canards sur une rivière.*

# rocket

**A rocket over the mountains.**
*Une fusée au-dessus des montagnes.*

# road

**How many ducks are there?**
*Combien de canards y a-t-il?*

**There are six of them.**
*Il y en a six.*

**Three swim. Three walk.**
*Trois nagent. Trois marchent.*

**Ducks on a road.**
*Des canards sur une route.*

# roll

**She is rolling fast.**
Elle roule vite.

# roof

**A roller-skater on the roof.**
Une patineuse à roulettes sur le toit.

# room

**My room is untidy.**
Ma chambre est en désordre.

# rooster

**The rooster and his hen.**
Le coq et sa poule.

# rope

**They pull on the rope.**
Ils tirent sur la corde.

# rose

**Roses for the queen.**
Des roses pour la reine.

93

# round

Hoops are round.
Les cerceaux sont ronds.

# row

He rows in his boat.
Il rame dans son bateau.

# row

In a row.
En file.

# rub

He rubs himself.
Il se frotte.

# rug

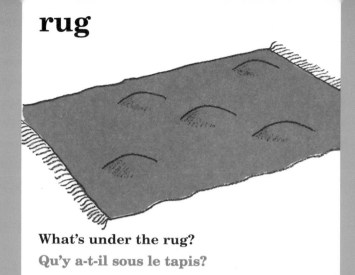

What's under the rug?
Qu'y a-t-il sous le tapis?

# run

They are running to Rochester.
Ils courent à Rochester.

# S s

## sad

**A very sad dog.**
Un chien très triste.

## saddle

La selle.

## safe

**He is tied. I'm safe.**
Il est attaché. Je suis tranquille.

95

# sail

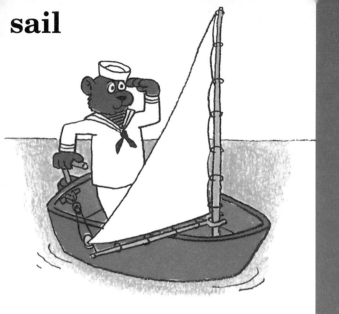

**A sailor in his sailing boat.**
Un marin sur son bateau à voile.

# sandwich

**An enormous sandwich.**
Un énorme sandwich.

# same

**We have the same smile.**
Nous avons le même sourire.

# sank

**My sailboat sank.**
Mon bateau à voile a coulé.

# sand

**He plays in the sand.**
Il joue dans le sable.

# save

**He saves money.**
Il met de l'argent de côté.

**He saves nuts.**
Il met des noix de côté.

96

**saw**

I see a saw.
Je vois une scie.

**saw**

I saw a seesaw.
J'ai vu une balançoire.

**say**

What is baby saying?
Que dit bébé?

**scissors**

Des ciseaux.

**scooter**

He rides on his scooter.
Il monte sur sa trottinette.

**scratch**

He scratches.        Il se gratte.

**sea
seal**

A seal in the sea.
Un phoque dans la mer.

97

# season

Il y a
quatre saisons.

**Spring.**
Le printemps.

**Autumn.**
L'automne.

**Summer.**
L'été.

98

**Winter.**
L'hiver.

## seeds
### graines

**Plant them.**
Plantez-les.

**They grow.**
Elles poussent.

## sell

**He sells hot dogs.**
Il vend des saucisses chaudes.

## send

**Mother sends us to bed.**
Maman nous envoie au lit.

## set

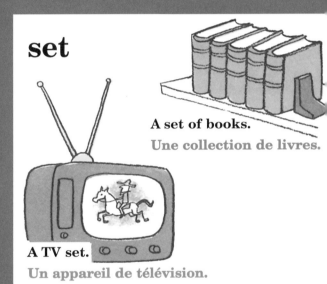

**A set of books.**
Une collection de livres.

**A TV set.**
Un appareil de télévision.

## seven

**The seven sisters.**
Les sept sœurs.

99

# sew

**The seven sisters are sewing.**
Les sept sœurs cousent.

# sharp

**Needles are sharp.**
Les aiguilles sont pointues.

# shadow

**Aunt Ada's shadow.**
L'ombre de Tante Ada.

# she

**She is my sister.**
Elle est ma sœur.

# shake

**They shake paws.**
Ils se serrent la patte.

# sheep

**The sheep bleats.**
Le mouton bêle.

# shell

**My house is a shell.**
Ma maison est une coquille.

# shine

**My shoes shine.**
Mes souliers brillent.

# ship

**A ship is a big boat.**
Un navire est un grand bateau.

# shoot

**He shoots well with the bow.**
Il tire bien à l'arc.

# short

**My shirt is too short.**
Ma chemise est trop courte.

# shout

**He shouts.**
Il crie.

101

# show

**Daddy shows it upside down.**
Papa le montre à l'envers.

# side

**Left side.**
Côté gauche.

**Right side.**
Côté droit.

**Inside.**
Dedans.

**Outside.**
Dehors.

# shut
# shutters

**He shuts the shutters.**
Il ferme les volets.

# sign

**Signboards.**
Enseignes.

# sick

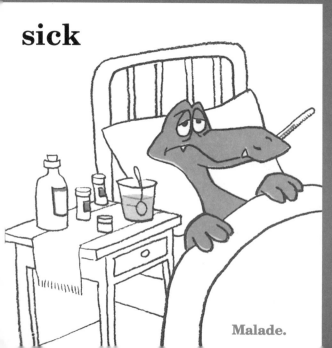

**Malade.**

# silly

**He is being silly.**
Il fait le bête.

# sing

The seven sisters sing.
Les sept sœurs chantent.

# sit

The seven sisters sit down.
Les sept sœurs s'asseyent.

# six

Six skunks.
Six putois d'Amérique.

# skate

A skunk skating.
Un putois d'Amérique qui patine.

# sky

We fly in the sky.
Nous volons dans le ciel.

# sledge

Une luge.

# sleep

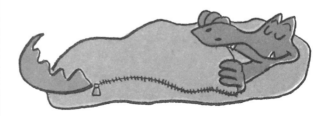

He sleeps in a sleeping bag.
Il dort dans un sac de couchage.

103

# slide

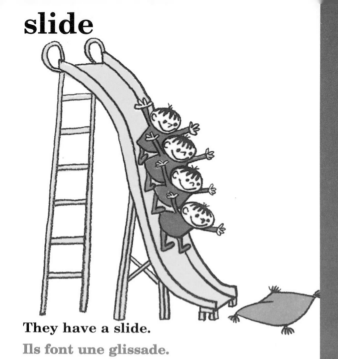

**They have a slide.**
Ils font une glissade.

# slow

**Slow.**                    **Fast.**
Lent.                        Rapide.

# small

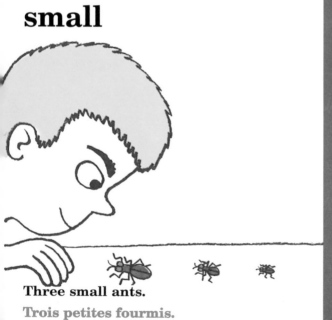

**Three small ants.**
Trois petites fourmis.

# smell

**Skunks smell bad.**
Les putois sentent mauvais.

# smile

**Big smile.**
Grand sourire.

# smoke

**The chimneys smoke.**
Les cheminées fument.

# snack

**He is eating a snack.**
Il casse la croûte.

# sneeze

KERCHOO

**The snake sneezes.**
Le serpent éternue.

# sniff

She sniffs the cheese.
Elle flaire le fromage.

**What does Aaron like?**
Qu'est-ce qu'Aaron aime?

**He likes his snack.**
Il aime son casse-croûte.

**What does the mouse like?**
Qu'est-ce que la souris aime?

**She likes her cheese.**
Elle aime son fromage.

# snow
## la neige

**Snowman.**
Un bonhomme de neige.

**Snowball.**
Une boule de neige.

**Snowshoes.**
Des raquettes.

**Snowshovel.**
Une pelle à neige.

# soap

**Soapsuds.**
Mousse de savon.

# sock

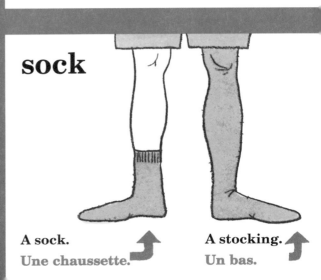

**A sock.**
Une chaussette.

**A stocking.**
Un bas.

105

# some
## quelque

Someone
Quelqu'un

Something
Quelque chose

Sometimes
Quelquefois

Somewhere
Quelque part

# spider

**A spider's web.**
Une toile d'araignée.

# spill

**He has spilt his milk.**
Il a renversé son lait.

# south

**He flies south.**
Il vole vers le sud.

# spell

**How do you spell Llewellyn?**
Comment épelez-vous Llewellyn?

# spin

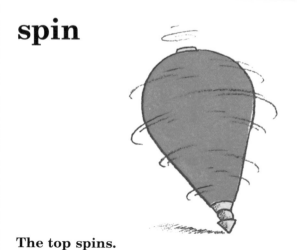

**The top spins.**
La toupie tournoie.

## splash

**A big splash.**
Une grosse éclaboussure.

## spot

**He has many spots.**
Il a beaucoup de taches.

## stair

**He goes downstairs.**
Il descend l'escalier.

## stamp

**I stick the stamp.**
Je colle le timbre.

## stand

**The soldiers are standing up.**
Les soldats se tiennent debout.

## start

**She can't start.**
Elle ne peut pas démarrer.

107

# station

**Railway station.**
La gare.

# stay

**Stay at home.**
Reste à la maison.

# steps

**Very steep steps.**
Marches très raides.

# stick

**He brings back the stick.**
Il rapporte le bâton.

# still

**They stand still.**
Ils se tiennent immobiles.

# sting

**Mosquitoes sting.**
Les moustiques piquent.

# stone

**Rolling stones.**
Pierres qui roulent.

# street

La rue.

# stop

**He stopped.**
Il s'est arrêté.

# string

**A long string.**
Une longue ficelle.

# story

**He reads them a story.**
Il leur lit une histoire.

# straight

**Straight hair.**
Cheveux raides.

**Curly hair.**
Cheveux bouclés.

# suit

**He looks at the suits.**
Il regarde les costumes.

109

# sun

**Daddy got a sunburn.**
Papa a attrapé un coup de soleil.

# swallow

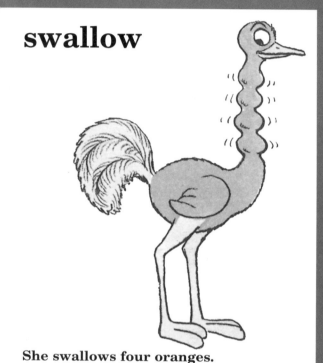

**She swallows four oranges.**
Elle avale quatre oranges.

# sweaters

**They wear sweaters.**
Ils portent des chandails.

# sweep

**He sweeps.**
Il balaie.

# swim

**Fish swim.**
Les poissons nagent.

# swing

**Four on a swing.**
Quatre sur une balançoire.

110

# T t

## table

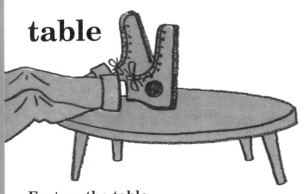

**Feet on the table.**
Pieds sur la table.

## take

**Take your feet off.**
Enlève tes pieds de là.

## tail

**A long tail.**
Une longue queue.

## talk

**They are all talking.**
Ils parlent tous.

111

# tall

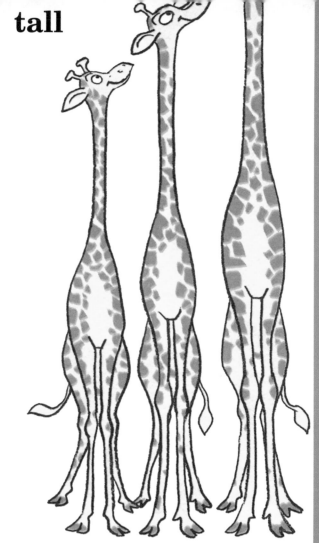

**Three tall giraffes.**
Trois grandes girafes.

# tame

**He tames lions.**
Il dompte les lions.

# taste

**He tasted the lemon.**
Il a goûté le citron.

# teach

**He teaches them to sing.**
Il leur enseigne le chant.

**Who teaches the birds?**
Qui enseigne aux oiseaux?

**The music teacher.**
Le professeur de musique.

**They all sing well.**
Ils chantent tous bien.

# television

They watch television.
Ils regardent la télévision.

# tell

He tells them, "Not so loud."
Il leur dit, "Pas si fort."

# ten

There are ten in the tent.
Il y en a dix sous la tente.

# thank

Thanks for the tomatoes.
Merci pour les tomates.

# thermometer

Un thermomètre.

# thing

A green thing.
Une chose verte.

# think

He thinks of a red thing.
Il pense à une chose rouge.

113

# thread

Le fil.

# throw

Did you throw it?
L'as-tu jetée?

# three

Three things: one, two, three.
Trois choses: une, deux, trois.

# thumb

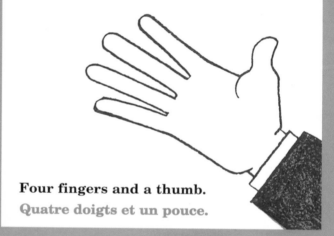

Four fingers and a thumb.
Quatre doigts et un pouce.

# threw

He threw it through the window.
Il la jeta par la fenêtre.

# tie

He tied the tiger.
Il a attaché le tigre.

114

# time

He points out the time.
Il indique l'heure.

# tired

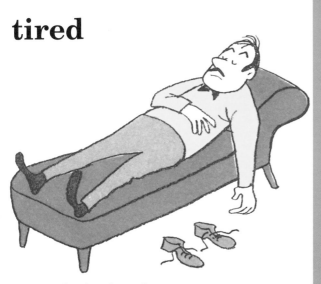

Daddy is tired again.
Papa est encore fatigué.

# today

Today is the twelfth.
Aujourd'hui c'est le douze.

# toe

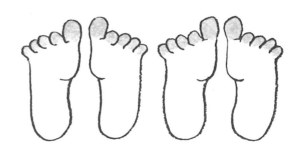

Twenty toes.
Vingt doigts de pieds.

# tongue

La langue.

# too

Too fat.     Too thin.
Trop gros.     Trop maigre.

# tooth

**A tooth.**
Une dent.

**Teeth.**
Des dents.

**Toothbrush.**
Une brosse à dents.

# top

**On top of his hat.**
Sur son chapeau.

# towel

**A bear with a towel.**
Un ours avec une serviette.

# tower

**The bear is on top of the tower.**
L'ours est en haut de la tour.

# toy

**He plays with his toys.**
Il joue avec ses jouets.

# train

**A train on its tracks.**
Un train sur ses rails.

116

# tree

**On top of the tree.**
Sur le sommet de l'arbre.

# truck

**A truck full of rabbits.**
Un camion plein de lapins.

# trick

**He does tricks.**
Il fait des tours.

# true

**It's not true.**
Ce n'est pas vrai.

# tricycle

**A bear on his tricycle.**
Un ours sur son tricycle.

# trunk

**An elephant's trunk.**
La trompe de l'éléphant.

# try

I am trying to fly.
J'essaie de voler.

I shouldn't have tried it.
Je n'aurais pas dû essayer.

# turkey

Two turkeys talking.
Deux dindons qui parlent.

# turn

They turn to the left.
Ils tournent à gauche.

# turtle

The turtles turn to the right.
Les tortues tournent à droite.

# twins

Des jumelles.

# typewriter

Une machine à écrire.

# U u

## umbrella

My uncle with his umbrella.
Mon oncle avec son parapluie.

## underwear

My uncle in his long underwear.
Mon oncle en caleçons longs.

## up

He is upside down up there.
Il est à l'envers là-haut.

## us

We laugh at him.
Nous nous moquons de lui.

## useful

He is very useful.
Il est très utile.

119

# V v

## vacation

**We are on vacation.**
Nous sommes en vacances.

**What is in our trailer?**
Qu'y a-t-il dans notre remorque?

**Everything is in there.**
Tout y est.

## vacuum

**Vacuum cleaner.**
L'aspirateur.

## valentine

**A Valentine card.**
Une carte pour la Saint Valentin.

# valley

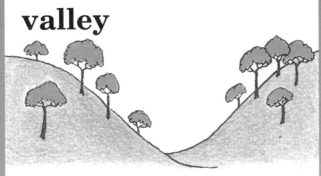

**A valley between two hills.**
Une vallée entre deux collines.

# village

**The village has red houses.**
Le village a des maisons rouges.

# vanilla

**Vanilla.**
A la vanille.

**Strawberry.**
A la fraise.

# violin

**He plays the violin.**
Il joue du violon.

# very

**A very, very, very small dog.**
Un très, très, très petit chien.

121

# volcano

**The volcano spits fire.**
Le volcan crache du feu.

# W w

## wag

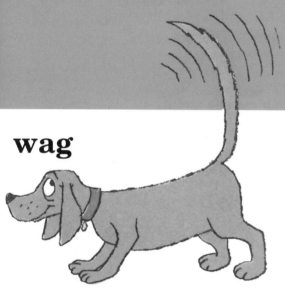

**He wags his tail.**
Il remue la queue.

## wagon

**On a little wagon.**
Sur un petit chariot.

## wait

**Wait for me.**
Attendez-moi.

## wake

WAKE UP

Réveille-toi!

122

## walk

**Two cats walk on a wall.**
Deux chats marchent sur un mur.

## walrus

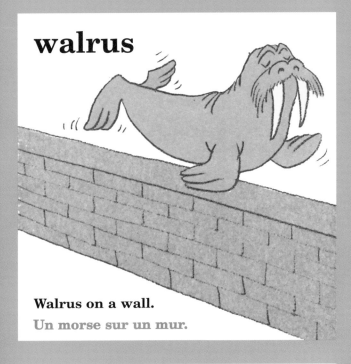

**Walrus on a wall.**
Un morse sur un mur.

## warm

**He is getting warm.**
Il se réchauffe.

## wash

**He washes the baby.**
Il lave le bébé.

## watch

**I look at my watch.**
Je regarde ma montre.

## water

**She likes the water.**
Elle aime l'eau.

## way

**Out of my way!**
Hors de mon chemin!

123

# wear

They wear green hats.
Elles portent des chapeaux verts.

# went

We went out in the rain.
Nous sommes sortis sous la pluie.

# week

Seven days in a week.
Sept jours dans une semaine.

# wet

We were all wet.
Nous étions tout mouillés.

# weigh

How much do we weigh?
Combien pesons-nous?

# whack

She spanked us. Whack, Whack!
Elle nous a fessés. Pan, Pan!

# whale

**A whale is a big animal.**
Une baleine est un grand animal.

# wheel

**Two big wheels.**
Deux grandes roues.

# which

**Which one is Mary?**
Laquelle est Marie?

# whisker

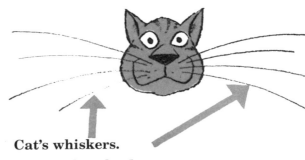

**Cat's whiskers.**
Moustaches de chat.

# whisper

**He whispers.**
Il chuchotte.

# whistle

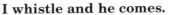

**I whistle and he comes.**
Je siffle et il vient.

# white

Noir.

Blanc.

# why

**Why, why, why?**
Pourquoi, pourquoi, pourquoi?

# win

**Who will win?**
Qui gagnera?

# wind

**The wind came in the window.**
Le vent est entré par fenêtre.

# wing

**I have a big wing.**
J'ai une grande aile.

# wink

**I can wink.**
Je peux cligner de l'oeil.

# wipe

**Wipe your feet.**
Essuie tes pieds.

126

# wish

**My wish.**
Mon souhait.

# won't

**I won't eat it.**
Je ne le mangerai pas.

# with
# without

**With mustard.**     **Without mustard.**
Avec moutarde.        Sans moutarde.

# wood

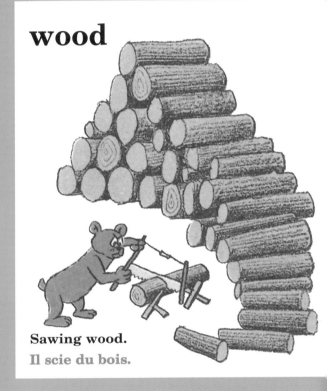

**Sawing wood.**
Il scie du bois.

# woman

**One woman.**        **Three women.**
Une femme.           Trois femmes.

# wool

**Sheep's wool.**
Laine de mouton.

127

# word

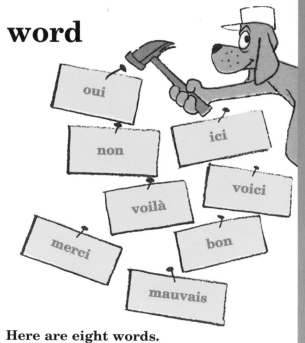

oui

non

ici

voilà

voici

merci

bon

mauvais

**Here are eight words.**
Voici huit mots.

# work

**They work hard.**
Ils travaillent dur.

# world

**Around the world.**
Autour du monde.

# would

**I would like to catch that worm.**
J'aimerais bien attraper ce vers.

# write

*I can write*

Je sais écrire.

# wrong

I KAN RITE

**Aaron wrote it wrong.**
Aaron l'a mal écrit.

xiphosuran

xanthochroid

"Oh oh ! X words are hard."

xylophagous

xerophthalmia

"Don't worry. Here are three easy ones."

X

xanthophyll

X

**Words beginning with X.**
Mots commençant par X.

**Most of them are long.**
La plupart sont longs.

**Most of them are dull.**
La plupart sont ennuyeux.

**Most of them are hard to spell.**
La plupart sont difficiles à écrire.

**We don't use them very much.**
Nous ne les utilisons pas beaucoup.

**But these two here are useful.**
Mais ces deux-ci sont utiles.

## x-ray

X-rays of a bear.
Rayons-X d'un ours.

## xylophone

He plays the xylophone.
Il joue du xylophone.

129

# Y y

## yard

**Three feet equal a yard.**
Trois pieds égalent un yard.

## yard

**A hippopotamus in the yard.**
Un hippopotame dans la cour.

## yawn

**He yawns often.**
Il baille souvent.

130

# year

| | | |
|---|---|---|
| janvier | février | mars |
| avril | mai | juin |
| juillet | août | septembre |
| octobre | novembre | décembre |

**Months of the year.**
Les mois de l'année.

# yell

We both yell.
Nous hurlons tous les deux.

# yellow

Jaune.

# yet

**Aren't you up yet?**
N'es-tu pas encore levé?

# young

**Three young brothers.**
Trois jeunes frères.

# yoyo

**He is delighted with his yoyo.**
Il est ravi de son yoyo.

131

# Z z

## zebras

**Galloping zebras.**
Des zèbres qui gallopent.

## zipper

**A difficult zipper.**
Une fermeture éclair difficile.

## zoo

Jardin zoologique.

## zero

**Zero is very cold.**
Zéro c'est très froid.

# zyxuzpf

**Zyxuzpf birds are not found in France.**

On ne trouve pas d'oiseaux zyxuzpf en France.

cinq
axe
lit
gargle
Abigail
igloo
plume
zoo
helicopter
sandwich
zipper
camera
xylophone
vanilla
lune
jeter
lamb
lollipop
sourcil
monnaie
Monsieur
listening
jack-o-lantern
xylophagous
banana
livres
elephant
coq
ear
queen
bébé
xanthochroid
sec
xerophthalmia
lamb
bon
dîner
yoyo
fermier
wagon
honk
package
key
fromage
zoo
chien
few
insect
pyjamas
zero
éléphant
few
sauterelle
groceries
cil
alligator
garçon
Uriah
quick
thé
camera
géa
rat
Minnihaweetonka
kerchoo
underwear
gâteau
baignoire
déjeuner
use
mustard
cheese
mur
glove
boue
uncle
zebras
balloon
Aaron
oiseau
rue
jet
geler
bébé
pommes
crayon